清　陳鏡伊編

道德叢書　之四

孝史

尋親篇、救親篇
養親篇、侍疾篇
葬親篇、孝感篇
顯親思親篇

世界書局

孝史

孝史 道德叢書之四

江蘇海門陳鏡伊編

目錄

(二) 養親篇

舌耕奉父

(四) 侍疾篇

未嘗解衣　衣不解帶

夜不解帶　不離左右

爲母吮疽　爲母吮癰

爲父舐目　母盲復明　四則

嘗糞驗病　嘗唾驗病

親嘗湯藥　天醫賜方

忽得奇藥　神示靈藥

神賜靈藥　丹書療病

神僧遺瓜　須臾永瘥

楊梅冬實　供花不萎

苗折更生　墓生靈芝　以上感植物

天燠得水　盛夏得冰

旱忽生泉　庭忽湧泉

墓側湧泉　汲水得錢

埋兒得金　火爲之滅

大火頓熄　屋獨免燒

一屋僅存　反風滅火

風返火滅　水爲退滅

憑板獨生　附木獨生

俄而風息　俄而風靜

衆溺獨全　衆沒獨全
衆漂獨存　舟忽自正
雨獨不霑　雨獨不濕
風雹便止　衆壓獨全
衆損獨佳　草人指路
意赦夙業　仙丸愈痼
神示良藥　神贖良藥
斷指復生　割乳復生
至性冥通五則以上感天地鬼神　格母悔改
格婦成孝 二則

(七) 顯親思親篇

揚名顯親　大魁天下
爲親而仕　子壻殊科 以上顯親
度親超昇　拯人超母
減算益親　授訣登仙 以上度親
聞雷泣墓　夢見父貌
夢晤亡母　悲母遺物
不仕仇朝　殺賊報父 以上思親
母老泣杖　母是佛活

孝　史　道德叢書之四

（一）尋親篇

萬里尋父

江蘇海門陳鏡伊編

明趙重華七歲時。父廷瑞游江湖不返。重華長榜其背曰：「萬里尋親。」別書父年貌邑里數千紙。所歷州縣遍張之。禱武當山。經太子巖。巖陰有字曰：「趙廷瑞朝山至此。」遂書其後曰：「趙廷瑞之子重華尋父至此。」久之無所遇。過丹陽遇一老僧呼問故。笑曰：「汝父客無錫南禪寺中。」語訖忽不見。重華急趨至寺。果得父。相與慟哭。迎歸雲南。

萬里尋父（二）

冷孝子名昇。山東兪都諸生。父植元好遠遊。明懷宗己卯。適嶺表。兵戈阻絕。三十年後。微聞其父歿於龍州土司。孝子涕泣尋訪。歷三百七十餘灘。自横州達南寧。又步行五千里。遇那利人蔡鄭二君。詢得其父葬所。并葬師某人。乃入山中與葬師譚姓者遇。果得父櫬於龍州北境山中。後人有嘉其孝行。悲其苦志。乃作一冷孝子扶櫬記一。冷一寒士。父歿三十年。竟能覓遺骸於萬里外。經歷險阻。不改初志。人以爲難。後孝子家累世書香。科第不絕。

萬里尋母（一）

梁庾道愍有孝行。少出。孤悴。母漂流交州。愍尚在繈褓。及長知之。

求爲廣州綏寧府佐至南而去交州尙遠乃自負担冒險至交州尋母經年悲泣偶入村日暮雨驟乃寄止一家旦有嫗負薪外還而愍心動訪之乃母也于是行伏號泣遠近赴之莫不揮淚

萬里尋母 (二)

明吳璋母選給內廷後隨親王妃之韶州璋棄家尋母舟供大士像哀禱懇至願必見母比抵韶而母又從王之饒州璋奔馳沙礫赤足皸裂臥寺廡下有道人自言焦姓敷以藥立愈過庾嶺黑虺嚙足痛極暈倒復見焦道人塗以藥痛立止投荒野茅舍有美人留之同宿璋曰「吾心似枯藤豈有慾念」奔出門而茅舍忽不見雪深數尺匍匐前征憩古廟焦道人又來扶其背曰「爲母忘軀鐵漢哉天不負汝苦心見母不遠矣」出餅啖之頓忘飢凍天

明尋路至饒。得見母。奉以歸。後子洪。孫山。俱官尚書。

艱苦尋父（一）

吳悉達聞喜人。父母爲人所殺。兄弟三人。年並幼小。四時號慕悲感鄉里。及長報讎。避地永安。昆弟同居四十餘載。閨門和睦。讓逸競勞。雖歉歲饘粥不繼。賓客所過。必傾所有。鄰人孤貧窘困者。莫不解衣輟糧。以相賑恤。鄉閭五百餘人。詣州稱頌焉。後欲改葬亡失墳墓。推尋弗獲。晝夜號哭。不止。叫訴神祇。忽於悉達足下地陷。得父銘記。因遷曾祖以下三世九喪。有司奏聞。標閭復役。以彰孝義。北史孝行傳

艱苦尋父（二）

王少元。父隋末死亂兵。遺腹生少元。甫十歲。問父所在。母以告。即

哀泣求尸。時野中白骨覆壓。或曰：「以子血漬而滲者。父胔也。」少元鑱膚滴血。閱旬而獲。遂以葬。創甚。彌年乃興。貞觀中。州官言狀。拜除王府參軍。唐書孝友傳

艱苦尋父（三）

元黃贇父君道。求官京師。贇幼。既長。聞其父娶後妻居永平。乃往省之。則父歿已三年矣。庶母聞贇來。盡挾其貲去更嫁。拒不見贇。贇號哭語人曰：「吾來省父。今已歿。思奉其柩歸。苟得見庶母。示以葬所。死不恨。尙忍利遺財邪。」久之。聞庶母居海瀕。亟往。三日不納。庶母之弟憐之。與偕至永平。求父墓。又弗得。贇哭禱于神。一夕夢老父以杖指葬處。曰：「見片磚。卽可得。」明日就其地求之。庶母之弟曰：「斂時有某可驗。」啓朽棺。得父骨以歸。元史孝友傳

艱苦尋父（四）

周道丕父戰死。遺骸未收。丕詣其地。拾聚白骨。晝夜誦經。祝之。顧羣骨中有動者。即我父骨也。一心注視。目不暫捨。忽一日有髑髏從聚骨中躍出。搖曳良久。丕躄踊抱持。賚歸。

艱苦尋父（五）

明王原父珣。以家貧役重。逃去。原既娶。號泣辭母。將尋父。循歷山東南北者數年。一日假寐神祠中。夢至一寺。當午炊莎根和肉食之。一老父至。驚覺。告之夢。請占之。老父曰：『午南位也。莎根爲附子。肉和之。附子膾也。求之南方。父子其會乎。』原南至輝縣帶山。有寺曰『夢覺』。原心動。天雪寒甚。臥寺門外。及曙。僧啓門問之。以尋父對。引入禪堂。予之粥。珣方執爨竈下。出見。問姓名。相持哭。

珣不欲歸。原以死自誓。寺僧勸之同歸。後原子孫多顯者。

艱苦尋父（六）

明劉鎬父允中爲憑祥巡檢卒于任。鎬以道遠家貧不能返柩居常悲泣父友憐之言于監司。聘爲廣西訓導尋赴憑祥莫知葬處鎬晝夜哭。一蒼頭故從其父已轉入交趾。忽驀至若有憑之者。因得塚所在刺血驗之良是乃得歸葬。

艱苦尋父（七）

包松仁江蘇泰興人父操舟爲業粵警舟爲官所封載兵之皖久無耗松隻身往尋出入戎馬中覓得父與之俱歸包一舟子而純孝如此可謂難矣。

艱苦尋母（一）

元黃覺經。五歲。因亂失母。稍長。誓天誦經。求母所在。乃渡江涉淮。行乞備歷艱苦。至汝州梁縣。得母以歸。

艱苦尋母（二）

元靳祥。金末兵亂。與母相失。母悲泣而盲。祥歷訪得之。舐其目。復明。

艱苦尋母（三）

明王溥。未仕時。奉母葉氏。避兵貴溪。與母相失。凡十八年。嘗夢母告以所在。洪武間仕至河南省平章。請歸省母之貴溪。求不得。晝夜號泣。居人言夫人為賊逼投井死矣。溥遍求各井。忽有鼠自井出。投溥懷中。旋復入井。汲井索之。母屍在焉。

艱苦尋母（四）

明邱繼先生母黃。爲嫡母所出。父歿。事嫡母極孝。嫡歿後。欲尋母。夢人告曰『若母在台州金鼇寺前。』乃之台。訪金鼇寺。行且泣。牛觸之墜溝。則與夫馬長之門也。出問從來。具告之。長曰：『吾前與一婦至縉雲蒼嶺下。殆是也。』繼先至其處。委巷中一媼立門外。探之。則母也。抱持而哭。迎以歸。備極孝養。後旌表。

艱苦尋母（五）

明李德成年十二。隨母避寇。至河濱。寇騎迫。母投河死。德成長。摶土爲父母像。與妻朝夕事之。方嚴冬大雪。冰堅至河底。成夢母曰：『我處水下。寒不得出。』一覺而大慟。徒跣三百里。抵河濱。臥冰七日。冰果融數十丈。恍惚見其母。而他處堅凍如故。

艱苦尋母（六）

徐子壽龍泉后何鄉人。週歲喪父。伯嫁其母於江西旅人。携歸都昌。母子不相聞者二十五年。壽少依伯母。稍長思尋母。無資因為人力作。四載積資十餘金。乃裹糧往。時值嚴冬。備嘗艱苦。旬月五日。抵都昌。求母不得。蓋母已無依。行乞矣。壽晝夜哀號。感傷行路。道除夕前二日。經小南門外。見茅舍內有乞嫗三人。察其音異。就訪之。果母也。相持大慟。時母年已六十餘。乃迎歸。傭力以供菽水。母歿。負土營葬。結茅墓側。邑人哀之。為詩歌以紀其事。

棄官尋母

宋朱壽昌年七歲。生母劉氏。為嫡母所妒。出嫁。母子不相見者五十年。神宗朝。棄官入秦。與家人訣。誓不見母。不復還。行次於同州得之。母年七十餘。

艱苦求父

河南人楊牢。有至行。李甘字和鼎以書薦於尹曰：「執事之部。孝童楊牢。父茂卿為叛軍殺死。牢之兄蜀三往索父屍不獲。牢自洛陽走常山二千里。號伏叛壘。委髮羸骸。有可憐狀。讎意感解。以尸還之。冬月單縗往來太行間。凍膚皸瘃。銜哀泣血。行路稠人為牢下淚。歸責其子以牢勉之。牢為兒踐操如此。未聞執事門唁而書顯之。豈樹風扶教意耶。今河北驕叛。萬師不能攘。而牢徒步請尸仇手。與夫含腐忍瘡者孰多。」牢絕乳即能詩。後擢進士第。唐書李中敏傳

（二）救親篇

打虎救父

晉楊香年十四歲。嘗隨父豐往田中穫粟。父爲虎曳去。時香手無寸鐵。惟知父而不知有身。踴躍向前。搤持虎頸。虎亦磨牙而去。父因得免於害。

打虎救母

明謝定住年十二。家失牛。隨母追逐。虎躍出噬其母。定住奮前擊之。虎逸去。乃扶母行。虎復追齧母。住再擊之。虎復去。行數武。虎還齧母足。住取石擊虎。乃舍去。帝召見嘉獎。旌其門。

繫獸救父

唐許坦年十歲。父入山採藥。爲猛獸所噬。即號叫以杖擊之。獸奔走。父以得全。太宗聞之。謂侍臣曰。「坦幼童。遂能致命救親。至孝可嘉。」授文林郎。

代父受刑

梁吉翂父爲吳興原鄉令爲吏所誣逮詣廷尉翂年十五撾登聞鼓乞代父命武帝以其幼疑受教於人敕廷尉蔡法度嚴加脅誘翂曰「囚雖蒙弱豈不知死可畏顧不忍見父極刑自視延息此非細故奈何受人教耶」法度乃更和顏誘之脫其二械翂曰「求代父死」竟不脫械法度以聞帝乃宥其父罪丹陽尹王志欲於歲首舉充純孝翂曰「異哉王尹何量翂之薄乎父辱子死斯道固然若當此舉則是因父買名」拒之而止年十七辟爲本州主簿出監萬年縣攝官朞月風化大行 南史孝行傳

爭代父死(一)

唐賈直言父道冲以藝待詔代宗時坐事賜鴆將死直言紿其父

曰「當謝四方神祇」使者少怠輒取鴆代飲迷而踣明日毒潰足而出久乃蘇帝憐之減父死俱流嶺南直言由是躄

爭代父死（二）

唐高郢父伯祥爲好畤尉安祿山陷京師將誅之郢尚幼解衣請代賊義而並釋之

爭代父死（三）

元張紹祖讀書力學奉父避兵山間賊至執其父將殺之紹祖泣曰「吾父善人不當害請殺我以代父死」賊以戈擊之戈應手挫鈍因相謂曰「此眞孝子不可害」乃釋之

（三）養親篇

行乞養親（一）

越州應天寺僧幼貧無以養剃髮乞食以供晨夕母年一百五歲而終 宋史孝義傳

行乞養親（二）

楊一武進圩橋人也行乞養父母所得食雖極饑不敢嘗必先以奉親有酒則跪進跳躍起舞唱山歌以悅之鄉人感其孝與之金僱爲傭不受曰「我親何可一日離也」親死乞得棺脫己衣殮之嚴寒赤身勿恤葬於野卽露宿棺旁日夜哀號歲時拜獻未嘗少缺後於墓傍得金一穴書曰「天錫楊一」遂致富夫以乞丐之夫尙知孝親而格天如此等而上者可不勉乎

資親喜悅

雲間顏文瑞賦性孝友自幼晨昏定省無間年甫十三即任家事以慰父母及長窺親意頗愛弟悉以田房讓之不取尺椽寸土娶楊侍講女爲室氏事翁姑益孝奉膳問安有餘必請親膳畢方敢就食嘗以銀錢隱投親笥隨親所喜而與之凡米鹽之入必先及弟以悅親心四五十年如一日一夕夢神告曰「汝命不永且乏嗣上帝以汝至孝故益爾年錫爾嗣」逾年果連得二子後親戚欲舉公孝行公堅却不許

負母遊園

明太宰楊巍每朝參畢閉門謝客便服侍母側盥漱巵盂搔摩扶掖無不親之春日爲村裝纈母夫人負之背迤邐行花叢中婆娑香陰歡娛竟日旋以養母乞歸母壽至一百四歲

卅年不倦

宋郭琮事母極恭順。娶妻有子。移居母室。凡母之所欲。必親奉之。居常不過中食。絕飲酒茹葷者三十年。以祈母壽。年百歲。耳目不衰。飲食不減。鄉里異之。至道三年。詔書存恤孝弟。轉運使狀琮事以聞。有詔旌表門閭。除其徭役。明年母無疾而終。

五十年不離

顧忻以母疾。葷辛不入口者十載。雞初鳴。具冠帶。率妻子詣母室。問所欲。如此五十年。未嘗離左右。母老目不能覩物。忻日夜號泣祈天。刺血寫佛經數卷。母目忽明。不燭能縫紝。九十餘無病而終。 宋史孝義傳

手不驅蚊

晉吳猛少有孝行。夏日。手不驅蚊。懼其去已而噬親也。後遇仙得神術。還家。渡江。波甚急。猛不假舟楫。以白羽扇畫水而渡。

扇枕溫被（一）

後漢黃香九歲失母。思慕惟切。鄉人皆稱其孝。躬執勤苦。事父盡孝。夏天暑熱。扇涼其枕簟。冬天寒冷。以身溫其被蓆。太守劉護表而異之。

扇枕溫被（二）

王延九歲喪母。泣血三年。幾至滅性。每至忌日。則悲啼一句。事親色養。夏則扇枕席。冬則以身溫被。隆冬盛寒。體無全衣。而親極滋味。晝則傭賃。夜則誦書。遂究覽經史。皆通大義。晉書孝友傳

躬扶父輿

晉孫晷為兒童未嘗被呵怒。長恭孝清約。父母起居飲食。雖諸兄親饋而不離左右。父雖於風波每行乘籃輿。躬自扶侍。所詣之處則於門外隱息。不令主人知。父嘗篤疾經年。晷扶侍不倦。藥石甘苦必經心目。跋涉山水祈求懇至。司空何充司徒蔡謨辟為掾屬。並不就。晉書孝友傳

為親滌溺

石建事親孝謹。為中郎令。每五日洗沐歸謁親。取親中裙廁牏。身自浣滌。漢文

為母滌溺

宋黃庭堅字魯直。號山谷。元祐中為太史。性至孝。身雖貴顯。奉母盡誠。每夕親滌溺器。未嘗一刻不供子職。

外宿歸侍

漢薛包好學篤行。父娶繼母。憎包逐出。包不得已。廬舍外。旦日入舍內灑掃。服勞。晚宿里門。晨昏問安。歲餘。父母感悟。命還。及父母亡。哀痛成疾。諸弟求分財。包不能止。如弟所欲。奴婢引其老弱者。曰：「與吾共事久。使令所熟也。」器物取其朽敗者。曰：「吾素所使用。身口所安也。」田產取其荒蕪者。曰：「吾少時所治。意所戀也。」後諸弟不能自立。包復賑給。安帝聞其名。徵拜侍中。不受。賜穀千擔。

負米百里

家語。子路見孔子。曰：「昔者由也。事二親之時。嘗食藜藿之食。為親負米百里之外。親沒之後。南遊於楚。積粟萬鍾。列鼎而食。願欲

食藜藿爲親負米不可得也』子曰：『由也事親可謂生事盡力死事盡思者也。』子路姓仲名由

殺雞供母

漢郭泰寓茅容家容殺雞作饌泰意爲已設既而供母自以草蔬與客同膳郭泰起拜曰『卿賢乎哉』因勸令學卒以成德

懷橘遺母

後漢陸績年六歲於九江見袁術父曾爲廬江太守。與袁術有善。術是九江刺史。績往拜見。術出橘待之績懷橘二枚及歸拜辭橘墮地術曰：『陸郎作賓客而懷橘乎』績跪答曰『吾母性之所愛欲歸以遺之』術大奇之

省食遺母

陳史徐孝克性至孝每侍宴無所食噉還以遺母

珍味先母

李曇少孤繼母嚴酷事之愈謹妻子寒苦執勞不怨得四時珍味先進母與徐穉姜肱袁閎京兆韋著爲五處士曇爲鄉里所稱法養親行道終身不仕　後漢書徐穉傳

忍痛侍母

劉敦儒家東都母病狂易非笞撻人不能食左右皆亡去敦儒日侍疾體常流血母乃能下食敦儒怡然不爲痛母喪毀瘠幾死後爲起居郎時稱劉孝子　唐書劉子元傳

孝感惡母

閻纘少好游英豪多所交結博覽典籍該通物理父卒繼母不慈恭事彌謹而母疾之愈甚誣盜父時金寶訟於有司遂被清議十

餘年無怨孝謹不怠母後意解更移中正乃得復品

舌耕奉父

顧態性至孝父娶妾生二子而薄態態孝愈篤以舌耕爲業每歲束脩悉以奉父毫不敢私庚子館於張氏張知其孝也故試之開館之日即先與束脩之半謂曰「今日之與尊翁不知也此處適有田賣宜買之至秋收可得租米以濟私用」態曰「不可吾豈爲幾斛米改其心而欺吾父哉」一卒持以奉父生子際明官至翰林純孝如父

(四) 侍疾篇

未嘗解衣

李密事祖母劉氏以孝謹聞。劉有疾。則涕泣。側息未嘗解衣。飲膳湯藥必先嘗後進。暇則講學忘疲。泰始初徵爲太子洗馬。以劉年老九十六不應。上疏自陳。武帝嘉其誠款。賜奴婢二人。使郡縣供其祖母奉膳。服闋。復以洗馬徵。再遷漢中太守。晉書孝友傳

衣不解帶

南宋郭世道事父及後母孝。負土成墳。賻助所受。傭賃倍償。仁厚之風。行于鄉黨。莫有呼其名者。宋太祖敕表閭門。名其里曰「孝行里」。一子原平。又稟至性。父疾彌年。衣不解帶。口不嘗味。積寒暑未嘗睡臥。

夜不解帶

梁江紑有孝行。父患眼。紑侍疾。期月。夜不解帶。夢一僧云:「患眼

者飲慧眼水必瘥。」及覺說之。莫能解者。乃捨宅爲寺。乞智者法師賜寺名。勅云「純臣孝子往往感應。卿感夢慧眼可以爲寺名」及建築泄故井水清洌異常。取水洗眼。幷煑藥。遂瘥

不離左右

任盡言事母至孝。母老多疾。未嘗離左右。思母得疾之由。或以飲食。或以燥濕。或以言語稍多。或以憂喜稍過。於是朝暮候視。無毫髮不盡。五臟六腑中事。皆洞見曲折。不待切脈而後知。故用藥必效。張魏公欲辟之。乃辭曰「盡言今使得一神丹。可以長生。必持以遺母。不以獻公也。況能舍母而與公軍事耶」

爲母吮疽

章邱陳孝子。母患股疽。徹夜呻吟。孝子號泣。籲代。終夜扶持。衣不

解帶者年餘。醫者以此症無藥可治。惟吮之其痛可減。孝子卽每日口吮數次。不以爲穢。家貧。除供母甘旨外。日食糠秕。後其病愈。登上壽。其孫登顯位。

爲母吮癰

元孫瑾。父喪。載柩渡江。潮波方湧。俄順風翼帆。如履平地。事母以孝。母患癰。瑾吮之愈。喪目。舐之復明。卒後將葬時。苦雨。瑾夜號天乞霽。至旦雲開日朗。甫掩壙復雨。數日不止。

爲父舐目

元王思聰。父病劇。思聰拜祈于天。額膝皆成瘡。得神泉。飲之愈。後失明。思聰舐之。卽能視。

母盲復明(一)

晉盛彥母王氏。因疾失明。彥不應辟召。躬自侍養。母食必哺之。母疾久。婢數見捶撻。婢忿恨。伺彥暫行。取蠐螬炙飴之。母疑其異物。密藏以示彥。彥抱母慟哭。母目豁然即開。後仕吳至中書侍郎。

又南史陳遺因亂逃竄。與母相失。母哭泣失明。遺還號痛。母目豁然而明。

又宋王翰母喪明。翰抉右目睛補之。母目明如故。詔賜粟帛。

又金劉政性篤孝。母喪明。政每以舌舐之。逾旬母能視物。

母盲復明（二）

劉政性篤孝。老母喪明。政每以舌舐母目。逾旬母能視物。母疾。晝夜侍側。衣不解帶。刲股肉啖之者再三。母死。負土起墳。鄉鄰欲佐其勞。政謝之。葬之日。飛鳥哀鳴。翔集邱木間。廬於墓側者三年。防

禦使以聞除太子掌飲丞。金史孝友傳

母盲復明（三）

梁蕭愱有孝性。母目有疾。久廢視瞻。有北度道人慧龍得治眼術。愱請之。既至空中忽見聖僧。迨慧龍下鍼。豁然開朗。咸謂精誠所致。

母盲復明（四）

元劉通業農。母失明。通斷酒肉。禱三十年不懈。母八十五。忽復明。

又元丁祥一。母喪明。以舌舐之。復能視。

嘗糞驗病

南齊庾黔婁爲孱陵令。到任未旬日。忽心驚汗流。卽棄官歸。時父病始二日。醫云「欲知恙劇。但嘗糞苦則佳。」婁嘗之甜。心甚憂

之至夕稽顙北斗求以身代俄聞空中有聲曰：「徵君（父）壽盡不復可延汝誠禱既至止得緩至月末」及晦而父亡

嘗唾驗病

焦懷肅母病每嘗其唾若味異輒悲號幾絕母終水漿不入口五日負土成墳廬守日一食杖然後起繼母歿亦如之唐書孝友傳序

親嘗湯藥

漢文帝高祖第三子初封代王生母薄太后帝奉養無怠母病三年帝為之目不交睫衣不解帶湯藥非口親嘗弗進仁孝聞於天下

天醫賜方

陶明元母病心痛醫莫能愈明元每掐心嚙舌以分母痛一日危

甚。計無所出。走禱神前曰。『刲股割肝。非先王禮。今事急矣。敢犯死。取一臠。爲湯劑。神如有靈。疾庶其瘳』。禱畢。即引刀自割。忽有童子自外跳入。叱曰。『毋自損。我天醫也』。明元大駭。伏地乞哀。童子取案上筆。書數字於几面。擲筆仆地。隨呼家人救之。良久甦。乃鄰兒也。叩之。無所知。視其所書。藥方也。明元私喜。此必神賜。吾母其瘳矣。如方治之。藥甫入口。而痛已失。終母壽。病不再發。

忽得奇藥

北史。梁彥光七歲時。父遇篤疾。醫云。『餌五石可愈』。時求紫石英。不得。彥光憂瘁。忽于園中見一物。光不識。怪而持歸。即紫石英也。衆咸異之。後爲相州刺史。有焦通事親禮闕。爲從弟所訟。光令觀孔子廟中。韓伯瑜母杖不痛。哀母力衰。對母悲泣之像。通悲愧若無容者。光訓諭而遣之。卒爲善士。

神示靈藥

南齊解仲恭家行敦睦。得纖毫財利。輒與兄弟平分。母病經時不差。入山採藥。遇一老父語之曰：『得丁公籐病立愈。此籐在前山際高樹垂下便是也。』忽然不見。仲恭如其言得之。治母病。卽差。

又解叔謙母病。聞空中語云。『此病得丁公藤爲酒便差。』偏訪無識者。乃訪至宜都郡山中。見一老父伐木。問其所用。曰：『此丁公藤。療風尤驗。』叔謙拜伏流涕。具言來意。老父以四段與之。幷示漬酒法。謙受之。顧視此人。不復知處。依法爲酒。母病卽差。

右兩則恐是一事

神賜靈藥

南齊劉虛哲所生母嘗病躬自祈禱夢見一黃衣老公與藥驚覺于枕間得之如言而疾愈藥如竹根于齋前種葉似萱茈嫡母崔氏及兄子景煥爲魏所獲靈哲爲布衣不聽樂及父懷珍卒當襲爵哲固辭朝廷義之哲傾產贖嫡母及景煥累年不能得武帝哀之令北使者請之魏人送之還南乃襲封爵

丹書療病

南史蕭叡明母病風積年沉臥明晝夜祈禱天寒下淚冰如筯額血冰不溜忽有一人以小石函授之曰「此療夫人病」明跪受之忽不見以奉母函中有三寸絹丹書日月字母服之卽平復時秣陵朱緒無行母病積年思菰羹妻買菰爲羹奉母緒曰「病安能食」遂食之盡母怒曰「天若有知當令汝哽死」緒聞心中

介介然即利（痢）血明日而死。

神僧遺瓜

梁滕曇恭年五歲母患熱思食寒瓜（西瓜）土俗所不產曇恭歷訪不得銜哀悲切俄一桑門（即沙門俗稱和尚是也）曰「我有二瓜分一相遺」恭拜謝捧瓜薦母舉室驚異尋訪桑門莫知所在父母忌日晝夜哀慟其門外有冬青樹二株時忽有神光自樹而起俄見佛像及夾侍之儀容光顯着久之乃滅

須臾永瘥

梁韓懷明年十歲母患尸疰懷明夜于星下稽顙祈禱時寒甚忽聞香氣空中語曰「童子母須臾永瘥無勞自苦」未曉而母平復鄉里異之母年九十而終懷明哭不絕聲有雙白鳩巢其廬上

服釋乃去。

割肝救母

啓楨野乘載。明彭有源。母病篤。源泣禱大士。願割肝救母。夜恍覩大士旛幢而前。源炷香頂禮。持刀自剖。探肝切之。痛絕而甦。呼妻烹以進。母病霍然愈。源肝出外不斂。衆求大士。夕示夢曰：「肝收無難。吾欲出之百日。令世人觀之。教孝耳。」

傾家醫母

昔崔沔性至孝。母失明。傾家求醫。不脫衣而奉者三十年。每良辰美景。必扶持宴笑。令母忘其所苦。母卒。毀形吐血。茹素終身。愛兄姊幾于母。慈甥姪甚于子。所得俸金。悉以分惠。曰：「風木既悲。無由展我孝思。計親所垂念者。惟此四五人。吾厚待之。庶得慰九泉之下耳。」後官至中書侍郎。子佑甫復爲賢相。

至孝延母

杭州戎傳耀事母以孝聞。民國九年母病。閱三年不愈。病久體虛。四肢拘攣。筋絡抽搐。痰涎湧塞。耳鳴心跳。飲食不進。諸醫束手。塵存一息。已備後事。傳耀激于孝誠。禱神鑒佑。時城中廟宇仙方被禁。惟靈隱韜光寺呂祖殿仙方尚存。戎于十一年十二月十二日晨徒步往禱。照方配藥。服後心神頓安。夜得合眼。已無凶險狀。嗣是每晨必步行往禱。雖嚴冬酷暑不稍息。每冒風霜。衝雨雪。徒步二十餘里。走山間。數年不一輟。冬令秉燭出城。至山方明。立愿處求。非母病復元不已。其體本弱。自是步履輕健。肢體反强。行山徑中。時覺異香撲鼻。訊之山僧行人。俱云無之。亦一異也。民國十三年起。改爲三日一求。十四年。改爲五日一次。迨十六年秋。母病全愈。行動如常。先是星相家均斷戎母壽不得過五十一。而卒得轉危爲安。非誠孝動天烏克臻此。

（五）葬親篇

賣身葬父

漢董永家貧。父死。賣身貸錢而葬。及去償工。路遇一婦人。求爲永妻。俱至主家。令織縑三百疋。乃回。一月完成。歸到槐陰會所。遂辭永而去。

徒跣千里

唐李百藥七歲能文。才行顯世。侍父母喪還鄉。徒跣數千里。子李安期亦孝順。百藥貶桂州。遇盜。將加以刃。安期跪泣請代。盜感而釋之。

神報親喪

南史師覺授有孝行。于路忽見一人持一函。題曰。「送孝子師君苫前」。俄而不見。捨車奔歸。聞家哭聲。一慟良久乃蘇。

神告吉地

北史裴俠年十三。遭父憂。哀毀若成人。將擇葬地。空中有人曰：「童子何悲。葬于桑東。將封公」。俠懼告母。母曰：「神也。吾聞鬼神福善。爾家未嘗有惡。當以吉祥告汝耳」。時俠宅有大桑林。因葬焉。後爲河北太守。

天畀良穴

湖南蕭翁延江右堪輿家謝某選穴。得一善地。謝謂翁曰：『是地非厚勿載。公曷宿壙以卜。非公地。當有異徵。』翁從之。夕偕其子同宿壙中。夜半聞呵殿聲。潛窺之。見儀衛擁導。一偉丈夫束馬而來。駐馬叱從者曰：『此何孝子地。蕭某何人。妄思佔據。速擒之出。』翁懼。于壙中叩首曰：『本處據非其分。致干天譴。故宿而卜焉。既荷垂示。願遷讓。』旋聞馬上人言。念汝素長者。姑宥汝。能為何孝子葬親。當別予汝善地。顧是穴宜速掩。毋使洩氣。言已風馳電掣。轉盼寂然。質明。父子偕歸。以語謝。封其穴而相與物色何孝子。並無知者。一日謝獨遊郊外。行稍遠。至一鎮。驟遇雨。避某米肆廡下。薄暮。舂者皆息。一少年獨後異而詢之。曰：『小人有母老矣。非肉不飽。吾早作晏息。可多得直以奉母。』詢其姓。曰：『何。』私念此卽爲何孝子也。欲窺其事母誠否。俟春息。託言天雨道遠。求借宿。何許之。偕至其家。屋僅兩楹。母居內。夫婦居于外。雖湫隘。然頗潔。何先入白母。旋卽延入曰：「家貧無閑房。已令婦從母宿。先生與我同榻。幸毋嫌褻。」坐定。持茶出。繼以酒一肴。一置几上。曰：「恕勿陪侍。」急趨入。謝于門隙覘之。見案上有兩簋。七匙各一。母飯。夫婦左右侍。調羹進肉。怡怡如也。飯已。婦撤俎。何侍母盥洗。然後對食。祇黃虀少許。生且食且窺。益大嘆服。未幾何出見客。食已。告謝曰：「衾枕俱在。先生遠行辛苦。請先寢。勿俟我。」謝領之。遂復入。生復覘之。見何倚母而坐。縷述街市俚事以慰母。母色甚歡。已而欠伸思睡。安枕拂席。解衣就床。皆親扶持。而婦侍其側。亦略無倦容。及母既睡。何又爲搥背撫摩。聞鼻息動。始起。步履甚輕。如恐。驚。瘖生既嘉其誠孝。而念神言之不謬。俟其出。詢其父歿幾年。已入土否。何泣告曰『歿已四年。無力卜葬。言之心痛』謝見其聲淚俱下。慰之曰。『子無傷。吾居停蕭翁。有片壤。願丐以遺子。吾且助汝葬資。』何訝曰：『某與先生素昧平生。何敢叨厚惠。且地有主者。縱蒙先生哀憐。恐言之無益耳。』曰：『無憂也。吾素知蕭翁慷慨好施。樂成人之美。聞子孝思。當無不允。三日後。子勿他出。我當與偕來』何泣謝曰：『果如先生言。沒齒不忘大德』謝復慰藉之。既寢。天未明。謝瘖而何不知所往。及晨起。見其持碗自外至。詢之。則母思食湯團。四鼓入城買歸。往返行二十里矣。生益嘆服。及歸。以告蕭翁。翁喜曰：『神命之矣。既得其人。余何敢吝』越三日。與謝持地券同往。入門。聞何夫婦哭甚哀。大驚。入詢之。則其母驟染時疫而卒。何見客至。以手搶地而哭。蕭翁憐之。助以殮資。出地契予之。生爲擇日卜葬。葬費皆自生出。既葬。何夫婦皆來謝。並請爲傭以償地價。翁訝曰：「君誠孝格天。余奈何貪天之功。」遂以前事語之。且曰：「君孝子。吾求爲之友而不得。安敢屈爲傭乎。顧吾家多閑房。君不棄。盍携眷同居。必不使君憂薪水。」何謝勿敢當。翁固邀之。遂留其家。爲司出入之總。月餘。蕭翁謂謝曰：「始神許我葬何孝子親後。別予吉地。今其言當驗。子盍圖之。」生曰：「諾。某非假青烏覓食者。苟不因翁事未竟。何久客異域爲第須覓一吉壤。顧目前無當意者。願假時日以得之。」自是日向田野山谷間。訪穴尋龍。杳無所遇。求之月餘。形神俱瘁。一日道經何墓。徘徊遠眺。忽見數丈以外。隱約間復現龍脈。尋跡以往。果得眞龍與何墳同源並發貴稍遜而富遠過之。遂白翁。購得之。爲之卜葬。事畢。辭歸。翁酬之千金。固却。曰：『吾向言非以此覓食者。願翁留此以濟貧乏之。』翁不得已。爲張樂祖餞。何夫婦亦來泥首謝。生歸。即登仕途。後翁家日起。富甲一郡。而何孝子亦福壽雙全。子孫皆顯仕。

（六）　孝感篇

盜慚而辭

漢趙咨家居。躬率子孫耕農爲養。盜嘗夜劫之。咨恐母驚。乃先至門迎請。設食。曰：『老母八十。疾病須養。乞少置衣糧。妻子物。餘一無所請。』盜慙而辭。（後漢書孝行傳）

賊不忍殺（一）

後漢劉平逢更始亂。扶母逃難。匿野澤中。朝出求食。逢餓賊。將烹平。叩頭曰：「今爲母求菜。願得歸食母。還就死。」賊哀而遣之。平還食母訖。因白曰：「與賊期。義不可欺。」遂詣賊。衆大驚。相謂曰：「嘗聞烈士。今乃見之。子去矣。吾不忍殺子。」于是得全。

賊不忍殺（二）

後漢江革少失父。獨與母居。遭亂。負母逃難。數遇賊。或欲刼將去。革輒泣告有老母在。賊不忍殺。轉客下邳。貧窮裸跣。行傭以供母。母便身之物。莫不畢給。

盜不忍害

元賴祿孫母病。值蔡五九作亂。負母避南山。盜至。將刃其母。祿孫以身翼蔽曰：「勿傷吾母。寧殺我。」盜不忍加害。有掠其妻去者。衆責之曰：「奈何辱孝子婦。」使歸之。其時又有樊淵。郭狗兒均遇兵。請代父母。俱感賊得免。

賊反贈物

漢蔡順少孤。事母至孝。遭王莽亂。歲荒不給。拾桑椹。以異器盛之。赤眉賊見而問曰：「何異乎。」順曰：「黑者奉母。赤者自食。」賊憫其孝。以白米三斗。牛蹄一隻。贈之。漢書。又載蔡順嘗出求薪。有急客至。母望順不還。乃噬其指。順即心動。棄薪馳歸。與曾參事類。又母喪未葬。里中火災。將迫其舍。順抱棺號哭。火遂越燒他舍。順舍獨免。

賊約不犯

後漢孫期少爲諸生。家貧。事母至孝。牧豕以奉養。遠人從其學者。皆執經壟畔以追之。里落化其仁讓。黃巾賊起。過期里。約不犯孫先生舍。

盜戒勿犯

隋史華秋事母以孝聞。母終。廬墓側。郡縣大獵。有一兔奔入廬匿秋膝下。獵人至。異而免之。自爾此兔常宿廬中。詔表其門閭。後羣盜起。往來廬之左右。咸戒曰：「勿犯孝子。」鄉人賴全活者甚衆。

盜還衣服

宋侯義傭田事母。母卒。負土成墳。墳間瓜異蒂。本連理。巨蛇遶其側。不暴物。野鴿飛不去。嘗遇盜劫其衣服。既而知其孝。悉還之。

虎卽避去 以上感盜賊

邱鐸葬母鳳鳴山原，哭曰：「鐸生也，咫尺不離吾母膝下。今逝矣，可委體魄於無人之墟乎？」乃結廬墓側，朝夕上食，如生時。當寒夜月黑，悲風蕭颼，鐸恐母岑寂也，輒巡墓號曰：「鐸在斯！」其地多虎，聞鐸哭聲，卽避去。會稽人異之，稱爲「眞孝子」。

虎忽棄之

宋朱泰家貧，鬻薪養母。一日入山，遇虎，負之而去。泰已瞑眩，行百餘步，忽稍醒，厲聲曰：「虎爲暴，食我，所恨母無托耳。」虎忽棄泰于地，走不顧，如有人疾驅之者。泰匍匐而歸，不逾月如故。鄉里聞其孝感，以金帛遺之，目爲「朱虎殘」。

虎卽舍去

明包實夫授徒數十里外。途遇虎。銜入林中。釋而蹲。實夫拜曰：「吾被食命也。如父母失養何」。虎卽舍去。後人名其地為「拜虎岡」。

虎曳尾去（一）

明蘇奎章從父入山。猝遇虎。奎章泣告。願舍父食己。虎曳尾去。

虎曳尾去（二）

徐一鵬字季翔。性至孝。家貧。授徒海濱。一夕感異夢。及覺語主人曰：『吾父殆有恙。急馳歸。夜過一嶺。遇虎於道。季翔祝曰：「吾為父病馳歸。卽劘虎牙吾何怖焉』。虎曳尾而去。歸至家。父病果憒。聞季翔至。忽甦曰：『兒適歸。將毋道遇虎乎。予頃被攝至陰司。見緋衣者曰：「爾數已絕。上帝因爾子純孝。特延爾壽一紀。且免爾子於虎厄云」

鳥耘獸耕

虞舜父瞽瞍頑。母嚚。弟象傲。嘗欲殺舜。使舜塗廩。從下縱火焚廩。舜以兩笠自飛而下。又使舜穿井。既深。入瞽瞍與象下土實井。舜從匿空旁出。耕于歷山。歷山之人皆讓畔。鳥爲之耘。獸爲之耕。後由堯禪位爲天子。

猛獸馴擾

晉許孜二親沒後。築墓。躬自負土。不受人助。每一悲號。鳥獸翔集。墓列松柏。時有鹿犯其松栽。孜悲歎曰：「鹿獨不念我乎」明日鹿爲猛獸所殺。置于松下。孜悵惋。乃爲作塚。猛獸即于孜前自撲而死。孜益歎息。又埋之。自後樹木滋茂而無犯者。積二十餘年。朝夕奉亡如存。鷹雉棲其梁。廬鹿與猛獸擾其庭圃。交頸同遊。不相搏噬。邑人號其居爲「孝順里」。

猛獸馴擾（二）

晉夏方家遭疫。父母伯叔死者十三人。方年十四。夜則號哭。晝則負土。十七載。葬送得畢。因廬墓側。種植松柏。烏鳥猛獸馴擾其旁。

猛獸下道

吳逵經荒饑疾病。合門死者十有三人。逵時亦病篤。其喪皆鄰里以葦席裹而埋之。逵夫妻既存。家極貧窘。冬無衣被。晝則傭賃。夜燒塼甓。晝夜在山。未嘗休止。遇毒蟲猛獸。輒爲之下道。朞年成七墓。十三棺。時有賻贈。一無所受。太守張崇義之。以羔鴈之禮禮焉。

晉書孝友傳

猛獸絕迹

梁宗室修年十二丁母艱。自荊州反葬。中江遇風。前後部伍多沉溺。修抱柩長號。血淚俱下。竟得無佗。葬訖。廬墓次。山中多猛獸。至是絕跡。野鳥馴狎。栖宿簷宇。武帝嘉之。以頒告宗室。後官於漢中人號爲慈父。時有田一頃。將秋遇蝗。修躬至田所。深自咎責。或請捕之。修曰：「此刺史無德所致。捕之何補。」言畢。忽有飛鳥千羣蔽日而至。瞬息之間。食蟲遂盡而去。莫知何鳥。南史梁宗室修傳

豺狼絕迹

陳史司馬嵩幼有至性。丁父艱。廬墓側。舊多猛獸。嵩結廬數載。豺狼絕迹。特除大中大夫。

羣雁俱集

晉吳隱之事親孝謹。及執喪。哀毀過禮。每哭恆有雙鶴警叫。祥練之夕。羣雁俱集。

慈烏來集

北齊蕭放居父喪。以孝聞。所居廬前。有二慈烏來集。馴庭飲啄。每臨放哭時。舒翅悲鳴。時以爲孝感。

彩雀叢集

宋支漸年七十。持母喪。負土成墳。白蛇白兔擾其旁。白鴿白烏集于壠木。五色雀至萬餘。回翅悲鳴。若助哀者。

慈烏銜土

宋周堯卿年十二喪母。倚廬三年。既葬。慈烏百數。銜土集壠上。

雙鶴來下

南史庾域爲太守妻子猶事井臼餘俸專供奉養母好鶴唳域營求不怠一旦雙鶴來下論者以爲孝感域子子輿五歲讀孝經手不釋卷父遷蜀卒奉喪還家秋水甚壯巴東有淫預石水高二十許丈及秋至纔如見次瞿塘大灘行旅忌之子輿撫心長叫夜五更水忽減退安流南下及度水復如舊時人爲之詩曰「淫預如幞本不通瞿塘水退爲庾公」初發蜀有雙鶴巢舟中及至又棲廬側每聞哭泣必飛翔悲鳴

鳥亦悲鳴

北史紐因性至孝父母喪廬墓側廬前生麻一株高丈許圍之合拱冬夏恆青有鳥棲上因舉聲哭鳥卽悲鳴時人異之

犬亦悲號

程普林事親以孝。聞父母終。廬墓側。盛冬惟著單縗。家有烏犬隨在墓。普林哀臨。犬亦悲號。見者嗟異。

犬乳鄰貓

唐李迥秀少聰悟。母少賤。妻嘗詈媵婢。母聞不樂。迥秀即出其妻。或問之。答曰：「娶妻要事姑。苟違顏色。何可留。」所居堂產芝草。犬乳鄰貓。中宗以爲孝感。

禱河得鱖

查道事母以孝聞。母嘗病。思鱖羹。方冬苦寒。道泣禱於河。鑿冰取之。得鱖魚尺許。以饋。又刺臂血寫佛經。母疾尋愈。後官右司郎中。出知虢州。歲歉。出官廩米賑之。又設粥糜以救飢者。所全活萬餘人。平居祿賜所得。輒散施親族。與人交。多所周給。深信內典。居多茹素。嘗夢神人謂曰：「汝位至正郎。壽五十七。」而享年至六十四。論者以爲積善所延也。

臥冰得鯉

王祥瑯琊人。性至孝。繼母朱氏不慈。數譖之。失愛於父。每使掃除牛下。祥愈恭謹。父母有疾。衣不解帶。湯藥必親嘗。母嘗欲食生魚時天寒冰凍。祥解衣將剖冰求之。冰忽自解。雙鯉躍出。母又思黃雀炙。有雀數十飛入其幙。復以供母。有丹柰結實。母命守之。每風雨。輒抱樹而泣。其篤孝純至如此。至今山東孝河。雖嚴寒不冰。

舍側躍鯉

漢姜詩事母至孝。妻龐氏奉姑尤謹。母性好飲江水。妻常出汲而奉之。母嗜食魚膾。夫婦常作以進。召鄰母共食。舍側忽有湧泉。味

如江水日躍雙鯉詩取以供母

躍鯉入舟

元至順間永平龍遵母病腫三年不能起忽思食魚遵求於市不得歸途歎恨忽有鯉躍入其舟作羹以獻母悅病痊　元史孝友傳

水獺獻魚

胡光遠母喪廬墓一夕夢母欲食肉晨起將求魚以祭見生魚五尾列墓前俱有齒痕鄰里驚異共聚觀有獺出草中浮水去衆知是獺所獻以狀聞於官表其閭　以上感格動物

哭竹生筍

吳孟宗少喪父母老疾篤冬月思筍煑羹食宗無計可得乃往竹林抱竹而哭須臾地裂出筍數莖持歸作羹以奉母食畢疾愈冬

筍之名自此始。故名其竹曰：「孟宗竹。」

哭澤生堇

劉殷七歲喪父，哀毀過禮，服喪三年，未嘗見齒。曾祖母王氏盛冬思堇而不言，食不飽者一旬矣。怪而問之，王言故，時殷年九歲，乃於澤中慟聲不絕者半日，忽若有人云：「止止。」收淚視地，便有堇生焉，得斛餘而歸，食而不減，至堇生時乃盡。又嘗夢人曰：「西籬下有粟。」掘得十五鍾，銘曰：「七年粟百石以賜孝子劉殷。」人嘉其至性感通。晉書孝友傳

寒日得瓜（一）

宗瓊母病，寒日思瓜，瓊夢想見之，求而遂獲，時人異之。

寒日得瓜（二）

元王薦性孝。母沈氏病渴。思食瓜。時大雪。求不得。薦避雪樹下。仰天哭。忽見岩石間青蔓披離。有二瓜焉。摘歸奉母。渴頓止。宣慰使上狀旌之。

楊梅冬實

南史王虛之喪父母。二十五年。烟酢不入口。疾病臥牀。忽一人來問病曰。「君病尋差。」俄而不見。果差。庭中楊梅隆冬三實。所居室夜有光如燭。墓上橘樹一冬再實。詔榜門。蠲其役。差通瘥

供花不萎

南史蕭懋七歲時。母病篤。請僧行道。有獻蓮花供佛者。僧以銅甖盛水漬其莖。欲花不萎。懋流涕禮佛曰。「若母因此和勝。願諸佛令花不萎。」七日齋畢。花更鮮紅。視甖中。稍有根鬚。當世稱其孝

感。

枯苗更生

陳史吳明徹幼孤。性至孝。家貧無以葬。乃勤力耕種。時亢旱苗枯。明徹號泣仰天自訴。居數日。有自田還者云「苗已更生」。疑爲紿已。及往田竟如其言。秋而大獲。足充葬用。時有伊氏善占墓。謂其兄曰「葬日必有乘白馬逐鹿者經墳。此是孝子大貴之徵」。至時。果有此應。後至司空。

墓生靈芝

唐許伯會舉孝廉。母喪。不御裘帛。不嘗滋味。野火將逮塋樹。悲號于天。俄而雨。火滅。歲旱。湧泉廬前。靈芝之生。以上感格植物

天燠得冰

元楊霖事母孝。母病熱。更數醫勿効。母曰。惟得冰我疾乃可愈。時天氣甚燠。霖求冰不得。累日號哭。忽聞池中戛戛有聲。拭淚視之。乃冰澌也。取以奉母。果愈。

盛夏得冰

明蔡毅中母病。盛夏思冰。盂水忽凍。母喪。斷酒肉。不入內寢。廬居有紫芝白鳥。千鴉集墓之異。

旱忽生泉

南宋王彭少喪父母。家貧無以營葬。兄弟二人。晝則傭力。夜則號感。鄉里哀之。乃各出夫力助作磚。磚須水而天旱。穿井數十丈泉不出。彭號天自訴。一旦大霧。磚窰前忽生泉水。鄉鄰助之者並嗟有神異。葬竟水便自竭。太守劉伯龍依事表言。改其里為通靈里。」

庭忽湧泉

唐宋思禮事母以孝聞。會大旱。井池涸。母羸疾。非泉水不適口。禮憂懼日禱。忽有泉出諸庭。味甘寒。日不乏汲。柳晃刻石頌其孝感。

墓側湧泉

唐安金藏母喪。廬墓側。躬造石墳石塔。晝夜不息。原上舊無水。忽湧泉自出。有李盛冬開花。犬鹿相狎。聞于上。勅旌其閭。

汲水得錢

喬龜年賣字鬻錢。供母甘旨。每日常號泣。自恨家貧缺養。夏月就井汲水。忽有靑衣人自井躍出。謂曰：「貧乃前定。何抱恨乃爾耶。」龜年再拜曰：「某恨一母不能豐養。雖勉強傭書。其如不足何。

青衣曰：「君之孝已聞於天。當於井中取錢百萬。」言訖而滅沒。之。果得錢。日治珍饌奉母。

埋兒得金

漢郭巨家貧。有子三歲。母嘗減食與之。巨謂妻曰：「貧乏不能供母。子又分母之食。欲埋此子。子可再有。母不可復得。」妻不敢違。巨遂掘坑三尺餘。忽見黃金一釜。金上有字云：「天賜黃金。郭巨孝子。官不得奪。民不得取。」

火爲之滅

唐長沙有孝子古初。遭父喪。未葬。鄰人失火。初匍匐柩上。以身扞火。火爲之滅。太守惲鄄異之。聞于朝而旌之。

大火頓熄

安徽六安縣北門外。大火延燒五百餘家。有傳正安者。母故。停柩在家。正安呼救。鄰家幫同移去。時風狂火熾。各居戶方自救不暇。無一應者。正安乃號哭入室。臥柩下。願同歸于盡。其妻亦携子女環其側。已而火延入院。積艸已燃。忽霹靂一聲。大雨如注。火頓熄。左右隣居高垣厚牆者。俱不獲免。獨正安室巍然無恙。

屋獨免燒

何琦沈敏有識度。好古博學。事母孜孜。朝夕色養。常患甘鮮不贍。出爲宣城涇縣令。丁母憂。居喪泣血。杖而後起。停柩在殯。爲隣火所逼。烟焰已交。家乏僮使。計無從出。乃匍匐撫棺號哭。俄而風止。火息。堂屋一間。免燒。其精誠所感如此。

一屋僅存

清康熙三十四年。苦旱。自春徂夏。赤地無青草。六月十三。小雨始有種粟者。十八日大雨。沾足乃種荳。一日石門莊有老叟。暮見二牛鬬山上。謂村人曰「大水將至矣」遂攜家播遷。村人共笑。無何雨暴注。徹夜不止。又蛟水突然驟發。平地水深丈餘。居廬盡沒。一農人棄兩兒。與妻扶老母奔避高阜。上視村中已爲澤國。並不復念及兒。水落歸家。見一村盡成墟墓。入門視之。一屋僅存。兩兒並坐牀頭。嬉笑無恙。彭南昀曰「大水深丈餘。人民死者殆盡。城廓盡墟。僅存一屋。則孝子某家也。茫茫大劫中。惟孝子子嗣無恙。誰謂天公無皂白耶」

反風滅火

李輶最孝母。一夕有客來投宿。輶適臨溪烹雞。既具飯。不以供客。

客怒不食轅曰：『母病思肉。故烹一雞。不及君也。』客愈怒而出。是夜屋後火起。將及廬。忽天雨反風。火滅。鄰人奔視。見客臥火中。火炬猶在手。人已死矣。

風返火滅

元李茂事親孝。母失明。茂禱于泰安山。三年復明。大德九年。揚州大火。延燒千餘家。火及茂戶。風返而滅。事聞旌之。

水爲退滅

庚子輿。吉水人。其父出守巴西。遷寧蜀而卒。子輿扶柩歸。時秋水方壯。而瞿塘流更湍急。子輿仰天大哭。水爲退減十餘丈。既過。水復如初。此純孝之格天也。

憑板獨生

吳江吳某迎父喪於旅次。貧不能歸。函骨乘舟渡江。至中流。風浪大作。舟將傾覆。時有同舟百餘人。呼天請命。篙師曰：「諸君有函骨舟中者。必於此舟不利。非拋棄之不可。」乃搜諸客。見函骨。譁曰：「是已。」促之投水中。吳某情急哀號。欲抱父骨。躍身入水。乃向舟師求一板。庶幾憑而到岸。客乃縛吳腰於板。入水中。隨波蕩漾。順流至蘆洲旁。木板抵蘆葦。竟登岸不死。回視前舟。無一生矣。

附木獨生

陳榮人。事母至孝。天啓中。郡城水災。人民漂沒。榮與母兩地隨流。各附一木。及達岸。卒遇其母。先是官舫中一郡守。夜夢神告。次午有孝子附舟。守艤船以待。至日中。一木沖岸。則榮附其上焉。守驚詰何以孝遽動天。榮曰：「某何知孝。惟一老母。頃刻不敢忘耳。」

孝子眞孝語。寫盡終身孺慕心腸。方知人子胸中。橫着一孝字者。便不是至誠天性也。

俄而風息

陳史阮卓性至孝。父于江州疾卒。卓年十五。奔喪。水漿不入口者累日。載柩還都。渡彭蠡湖中。流遇疾風。船幾沒者數囘。卓仰天悲號。俄而風息。人以爲孝感所致。

俄而風靜

梁庾沙彌以孝行著。沙彌父佩玉坐事誅。沙彌年五歲。母爲製彩衣不肯服。問其故。流涕曰。「家門禍酷。用是何爲。」終身布衣蔬食。丁母憂喪。還都。濟浙江中流。遇風舫將覆。沙彌抱柩號哭。俄而風靜。蓋孝感所致。

衆溺獨全

南史顧協事親孝。爲新安令。遭母憂。送喪還。于峽江遇風。同旅皆漂溺。惟協舟獨全。

衆沒獨全

南史袁昂爲豫章內史。丁母憂。以喪還。江路風暴。昂縛衣于柩。誓同溺。及風止。餘船皆沒。昂船獲全。

衆漂獨存

宋杜誼事父母孝。父母卒。廬墓。虎狼交于墓側。不爲害。吳越大水。推巨石流數十里。傍山民居廬墓漂壞甚衆。而獨不及誼。詔嘉獎。

舟忽自正

宋蘇頌知婺州。方泝廬桐江。水暴迅。舟欲覆。母在舟中幾溺矣。頌哀號欲赴水救之。舟忽自正。母甫及岸。舟乃覆。人以爲孝感。

雨獨不霑

元楊暐母病劇。暐叩天求代。遂痊。如是者再。後母失明。暐登太白山取神泉洗之。復如故。母歿。葬日大雨。獨暐墓前後數里雨不霑。土送者大悅。

雨獨不濕

元王庸母卒。露處墓前。日夕悲號。一夕雷雨暴至。鄉人持寢席往蔽之。見庸所坐臥之地。獨不霑溼。咸歎異而去。

風雹便止

北魏王崇以孝稱。夏風雹所經處。禽獸暴死。草木摧折。至崇田畔。風雹便止。禾麥十頃。竟無損落。及過崇地。風雹如初。咸稱孝行所感。奏標其閭。

衆壓獨全

元李忠事親至孝。大德七年。地大震。郇保山移。所過居民廬舍皆摧壓。將近忠家。分爲二。行五十餘步。復合。忠家獨全。

衆損獨佳

吳國寶性孝友。親喪。廬墓。大德八年。境內蝗害稼。惟國寶田無損。人以爲孝感。

草人指路

史彥斌嗜學有孝行。爲水所漂。彥斌縛草爲人。置水中。仰天呼曰。母棺被水。不知其處。願天矜憐哀子之心。假此芻靈指示母棺。言訖。涕泣橫流。乃乘舟隨草人所之。經十餘日。行三百餘里。草人止桑林中。視之。母柩在焉。載歸葬之。元史孝友傳

竟赦夙業

吳二事母至孝。一夕夢神曰：「汝夙業明日當遭雷擊。」吳以老母乞救。神曰：「受命于天。不可逃也。」吳恐驚母。告母云「兒將他適。請母暫歸妹家。」母不許。俄雷聲闐闐。吳使母閉戶自出田間待罪。後雲氣開霽。吳急歸視母。猶未敢告。夜又夢神曰：「汝至孝感天。已赦夙惡。」

仙丸愈痼

南史邱傑遭母喪。不嘗熟菜。歲餘。夢母曰：「死止是分別耳。何得茶苦乃爾。汝噉生菜。遇蝦蟆毒。靈牀有三丸藥。可取服。」傑驚起。果得甌。有藥。服之。下科斗子數升。邱氏世保此甌。

神示良藥

南史孫法宗性孝親喪居墓所禽獸皆馴附遇麢鹿觸獵者網必解放之償以錢物後苦頭瘡夜有女人至曰「我是天使行瘡本不及善人使者誤相及取牛糞煮傅之卽驗」一傅便差一境患者賴之。

神賸良藥

南史陸襄母卒哀毀過度心痛醫方須三升粟漿時日暮求索無所得忽有老人詣門貨漿量如方劑方欲酬直無何失之時以爲孝感所致。

斷指復生

唐萬敬儒五世同居喪親刺血寫經斷手二指輒復生州改所居曰「成孝鄉」大中時表其家。

割乳復生

宋楊慶母病。貧不能召醫。取右乳焚之。以灰和藥進焉。入口便差。久之。乳復生。守異之。名其坊曰「崇孝」。詔表其門。以上感天地鬼神

至性冥通（一）

周曾參事母至孝。參嘗採薪山中。家有客至。母無措。望參不還。乃嚙其指。參忽心痛。負薪以歸。跪問其故。母曰：「有急客至。吾嚙指以悟汝爾」

至性冥通（二）

阮孝緒七歲。出繼從伯允之。允之之母周氏卒。遺財百餘萬。一無所受。盡以歸允之姊瑯邪王晏之母。聞者歎異之。幼至孝。性沉靜。年十三。徧通五經。十五冠而見其父彥之。誡曰：「三加彌尊。宜思自

勖。」答曰：「願迹赤松子於瀛海。以免塵累。」自是屏居一室。非定省未嘗出戶。家人莫見其面。親友因呼為居士。年十六。父喪。不服縗纊。雖蔬有味亦吐之。後於鍾山聽講。母王氏有疾。兄弟欲召之。母曰：「孝緒至性冥通。必當自到。」果心驚而反。鄰里嗟異之。合藥須得生人蓡。舊傳鍾山所出。孝緒躬歷幽險。累日不逢。忽見一鹿前行。感而隨後。至一所而滅。果獲此草。母服之遂愈。時皆言其孝感所致。

至性冥通（三）

南史宗元卿有至行。早孤。為祖母所養。祖母病。元卿在遠。輒心痛。大病則大痛。小病則小痛。以此為常。鄉里尊之。號曰：「宗曾子」

至性冥通（四）

唐裴敬彝性端謹。父智周爲內黃令暴卒。敬彝在長安忽涕泣不食。謂所親曰：『大人每有痛處吾輒不安今日心痛手足皆廢事在不測』遂倍道言歸果聞父喪。後官吏部侍郎。

至性冥通（五）

唐張志寬喪父哀毀骨立爲州里所稱。賊帥王君廓屢爲寇掠不犯其閭。鄉里賴之而免者百餘家。爲里正詣縣稱母疾求歸。令問其狀對曰：『母有所苦。志亦有所苦。今患心痛知母有疾』令怒曰：『妖妄之辭也』繫之獄。馳驗其母竟如所言。令異之慰諭遣去。

以上性感

格母悔改

周閔損字子騫。早喪母。父娶後母。生二子。衣以棉絮。妒損。衣以蘆花。父令損御車。體寒失靷。父察知故。欲出後母。損曰：「母在一子寒。母去三子單。」母聞悔改。

右感格其母

格婦成孝（一）

文安縣民娶婦美而悍。每値夫外歸。必泣訴其姑虐。夫嘗默然。一夕燈下出利刃示婦。婦驚曰：「將安用此。」夫曰：「汝姑虐今持此去何如。」曰：「願也。」夫曰：「汝且更謹事之。使四鄰皆知汝謹而姑虐。然後行事。」婦如其言。下氣怡色。晨昏供侍。幾一月矣。夫復持刀叩婦曰：「姑日來視汝若何。」曰：「非前比矣。」又一月復叩之。婦歡然曰：「姑今好甚。前事愼勿作。」夫徐握刀怒視之曰：「汝見世間有夫殺婦者乎。」曰：「有。」「復見有子殺母者乎。」曰：「未聞也。」夫曰：「父母之恩。殺身難報。娶婦正爲奉舅姑耳。我察汝不能承順吾母。反令我爲大逆。造此刃者。實欲斷汝首以快母心。且貸汝兩月。使汝改過承顏。表吾母善待汝。而安受吾刃也』婦戰懼泣拜曰「幸恕我。我終身不敢逆姑」跪懇久之。乃許。自後姑婦交睦。卒成慈孝兩全。

格婦成孝（二）

陳邦佐以妻不協於母。欲出之。其友唐一菴諫曰「人情喜怒不常。豈以一失母心。便爲棄婦。他日母追念之。汝悔何及。此時則宜委曲調停耳」未幾果相協。邦佐卒。妻甘貧守節。右感格其妻

（七）顯親思親篇

揚名顯親

任敬臣五歲喪母哀毀籲天至七歲問父英曰：「若何可以報母」英曰：「揚名顯親可也」乃刻志從學汝南任處權見其文驚曰「孔子稱顏回以爲弗如也吾見此兒信不可及」

大魁天下

秦簪園殿撰幼失怙事母純孝先意承志母稍不悅則長跪請罪家素貧躬啜藜藿奉母必甘旨比長授徒某氏距家四五里晨昏定省寒暑無間以是母忘其貧而樂其子之賢也同時吳門張西峯先生亦以孝聞於鄉乾隆癸未元旦張母太夫人夢神謂曰「汝子孝行素著今春當大魁天下但嘉定秦某之孝尤篤且家甚貧當先秦」是科禮闈張文已中第三主司嫌孟藝後路太率欲易之於落卷中獲秦卷大加歎賞遂黜張而中秦廷對榜發果褒

然居首次科丙戌張亦臚唱第一

爲親而仕

廬江毛義少孤家貧有孝行稱南陽張奉慕義名往候之坐定而府檄適至以義守令義奉檄而入喜動顏色奉志尚士心賤之辭去及母死去官進退必以禮後舉賢良公車徵遂不至張奉歎曰「賢者固不可測往日之喜迺爲親屈也」後漢書孝行傳序

子壻殊科

東京趙居先父年九十一歲母年九十四歲性皆嚴急居先夫婦侍奉勤謹孝行克諧每夕焚香爲父母祈禱其心專一孝行動天七子三壻皆列殊科居先證仙果 以上顯親

度親超昇

福建林承美自幼喪父。寡母守節。撫孤成立。畢婚而卒。美思父母之恩。無由報答。常啼泣不已。偶遇一禪師謂曰：「親既逝矣。孝子思親。徒哭無益。子但誠心爲善。以求度親。使父母冥中獲福。則謂之報矣。」（善功成而能代父母祈求於天。勝於做道場。）承美感悟。戒殺放生。廣積陰功。數年後夢其父謂曰：「汝爲我行善。我與爾母皆超昇天堂。汝亦有厚福。」後承美壽九十六歲。子孫第甲。閩中不絕。

拯人超母

王德昌母徐氏。初妊不育。繼懷孕多病。及生德昌血崩而暈。既絕復甦。視兒而泣曰：「兒得生。我死無恨矣。」德昌稍長。父以此語之。號慟數日。後以母因產亡。傾家合益母丸以濟人。全活者甚衆。每聞人產必爲泣涕。人問其故曰：「吾母死於產。念及此。能不痛

心乎」一夕夢其母謂曰「因汝念我而多拯人產患我已得超生矣」上帝憐汝孝心使汝婦臨盆安泰兼生貴子」後三子皆顯

減算益親

崑山顧鼎臣親年五十而生鼎臣自幼盡孝稍長撰一表文每夜焚香祝天願減己算增親壽一夕夢黃鶴飛從天來近視之卽其所焚疏也末批云「鼎臣減算益親出於至誠父延二紀鼎臣狀元及第」後父果臻上壽鼎臣發第猶及見之

授訣登仙

蘭期至孝致斗中眞人下降其家自稱孝悌王語之曰「夫孝至於天日月爲之明孝至於地萬物爲之生孝至於人王道爲之成

子能孝不久度人世矣」授以秘訣竟登仙　以上度親

聞雷泣墓

魏王裒事親至孝母存日性畏雷既卒葬於山林每遇風雨聞聲即奔至墓所拜泣告曰「裒在此母勿懼」隱居教授讀詩至哀哀父母生我劬勞遂三復流涕後門人至廢蓼莪之篇

夢見父貌

梁甄恬幼喪父八歲問母恨生不識父悲泣累日忽有所見言其形貌則其父也時人以爲孝感及居母喪廬墓側恆有元黃色鳥巢于墓樹恬哭則鳴哭止則止詔旌其閭

夢晤亡母

齊宜都王鏗高帝第十六子也生三歲喪母及有識問母所在左

右告以早亡。便思慕蔬食。自悲不識母。常祈請幽冥。求一夢見。至六歲。遂夢見一女人。云『是其母』。鏗悲泣。向舊左右說容貌衣服。皆如平時。聞者欷歔。南史

悲母遺物

張敷生而母亡。年數歲。問知之。雖童蒙。便有感慕之色。至十歲。許求母遺物。而散施已盡。惟得一扇。乃緘錄之。每至感思。輒開笥流涕。見從母。悲感哽咽。性整貴。風韻甚高。好讀元言。兼屬文論。初父邵字茂宗使與高士南陽宗少文談繫象。往復數番。少文歎曰。『吾道東矣。』於是名價日重。遷黃門侍郎。父在吳興為太守亡。成服十餘日。始進水槳。遂毀瘠成疾。未朞卒。孝武即位。詔旌其孝道。改所居。稱『孝張里』。南史張卲傳

不仕仇朝

王裒父儀爲安東司馬。東關之敗。文帝時爲帥。問僚屬曰：「近日之事。誰任其咎。」儀曰：「責在元帥。」文帝怒曰：「司馬欲委罪於孤邪。」斬之。裒少立操尚。行己以禮。博學多能。痛父非命。未嘗西向坐。示不臣朝廷。隱居教授。三徵七辟。皆不就。廬墓側。旦夕至墓拜跪。攀柏悲號。涕淚著樹。樹爲之枯。

殺賊報父

馬天駟少卽穎悟。好讀書。康熙乙卯七月。赴省試。聞賊逼三衢。復反家。賊卒至。駟父出奔。遇賊。賊將刃其父。駟以身蔽之。泣訴曰：「此我父也。願無加害。寧殺我。」賊竟殺其父。駟躍起奪賊刃。連斫數賊。賊衆至。乃殺駟。其妻余氏遁於爛柯山。時孕已彌月。迨將分娩。

前一夕夢關壯繆告之曰「汝夫爲父死不可令無後我當與汝子」次日果生一子賊又至賊首見壯繆橫刀而立雲際賊馬皆止策之不前不敢登山而囘一方賴以無虞孝之感神如是哉

以上思親

母老泣杖

漢韓伯愈至孝有過母笞之忽然下泣母曰「往者杖汝惟忍受之今何以泣」愈曰「往日杖痛知母康健今母力衰不能使痛是以泣也」

母是活佛

蜀中楊黻叩無際禪師求佛禪師曰「汝何不見活佛」曰「佛在何處」禪師曰「汝試歸見披衣倒屣者即是佛」夜歸呼門母聞不及着衣喜急開門倒屣披衾出迎黻悟知敬親即奉佛矣

國家圖書館出版品預行編目資料

孝史／（清）陳鏡伊編
—初版 .—臺北市：
世界，2015.08
面；公分．　—（道德叢書；4）

ISBN　978-957-06-0530-3（平裝）
1. 孝悌　2. 通俗作品

199.08　　104014583

世界書號：A610-2162

道德叢書之四

孝史

作者／（清）陳鏡伊編
發行人／閻初
發行者／世界書局股份有限公司
登記證／行政院新聞局局版臺業字第〇九三一號
地址／臺北市重慶南路一段九十九號
電話／（〇二）二三一一—三八三四
傳真／（〇二）二三三一—七九六三
網址／www.worldbook.com.tw
劃撥帳號／〇〇〇五八四三七　世界書局
出版日期／二〇一五年八月初版一刷
定價／台幣一三〇元
道德叢書全套十四冊，定價二四〇〇元